Jean-Jacques Cleyet-Merle **LA GROTTE DE FONT-DE-GAUME**

ÉDITIONS DU PATRIMOINE

CENTRE DES MONUMENTS NATIONAUX

À LA RENCONTRE DE LA GROTTE DE FONT-DE-GAUME

La vallée de la Vézère : un potentiel archéologique et pariétal exceptionnel

Font-de-Gaume, la plus emblématique des grottes ornées françaises encore ouvertes au public, est loin d'être isolée. Partie nord de la région franco-cantabrique – foyer artistique de la culture magdalénienne –, l'Aquitaine est en effet la région française la plus riche en art pariétal –, avant même le Midi-Pyrénées qui accueille pourtant les prestigieux ensembles ariégeois. Et c'est en Dordogne que se concentrent 80 % des sanctuaires pariétaux aquitains. On y recense près de cinquante cavités de toutes dimensions – soit un tiers environ de ce que compte l'Hexagone –, dont la majorité se situe dans le sud du département, au sein du bassin versant de la Vézère. Dans cet espace structuré par la rivière principale et ses affluents, grande et petite Beune entre autres, il est facile de repérer, autour du village des Eyzies-de-Tayac, une concentration vraiment exceptionnelle de grottes et d'abris. Quelques chiffres remplaceront aisément toute description ou énumération : de la confluence du Manaurie à la falaise de Guilhem, couvrant l'aval de la grande Beune à partir de Commarque et l'intégralité de la petite Beune, cet espace privilégié abrite les trois quarts des grottes ornées de la région – trente-sept précisément –, soit près de 12 % du potentiel national d'après les estimations du préhistorien Norbert Aujoulat. C'est également dans ce périmètre et alentour que l'on trouve les quelques grandes stratigraphies de référence pour la chronologie de la préhistoire mondiale (le magdalénien à La Madeleine, le moustérien au Moustier, le micoquien à La Micoque…) et qui font partie, au même titre que les grottes ornées (dont Font-de-Gaume, Combarelles ou Cap-Blanc), des sites inscrits au Patrimoine mondial de l'humanité par l'Unesco en 1979.

Les Eyzies-de-Tayac : les falaises en aval du confluent de la Vézère et de la Beune.

* La karstification est le processus de formation d'un paysage calcaire érodé par l'eau.

* BP pour « *before present* » (avant le présent). Formulation utilisée en archéologie pour désigner les âges exprimés en nombre d'années comptées vers le passé à partir de 1950. Cette année fixée comme référence correspond aux premiers essais de datation par le carbone 14.

Ce foisonnement n'est pas le fait du hasard : au-delà du choix anthropique, la nature géologique en constitue l'explication principale. Les calcaires du santonien inférieur et du coniacien supérieur s'empilent sur environ 40 mètres d'épaisseur pour offrir des conditions de karstification* optimales. Les porches et ouvertures d'accès au réseau souterrain sont en outre souvent creusés en façade, et ils dominent suffisamment les fonds de vallée actuels pour ne pas avoir été occultés par les phénomènes d'érosion et de comblement. Le calcaire coniacien est parcouru de nombreuses galeries profondes : au niveau inférieur, à Combarelles par exemple, leur architecture reste relativement uniforme, leur morphologie plutôt linéaire, sans ramification, et leurs dimensions modestes. En position supérieure, voire sommitale comme à Font-de-Gaume – et 70 % des grottes et abris de la région –, les galeries comportent fréquemment des entrées latérales secondaires favorisant des courants d'air peu propices à la conservation des décors pariétaux…

Tirant profit de ces conditions favorables, les hommes se sont exprimés sur les parois des grottes et des abris pendant de nombreux millénaires : les Aurignaciens (vers 35 000 ans BP*) à Castanet, Blanchard et La Ferrassie notamment, les Gravettiens (vers 28 000 ans BP) à Cussac ou au Poisson, les Solutréens (vers 20 000 ans BP) à Lascaux, les Magdaléniens (vers 15 000 ans BP) à Font-de-Gaume, Combarelles, Rouffignac, Bernifal et tant d'autres, jusqu'à l'apparente disparition de l'expression symbolique des

Les falaises dominant le chemin d'accès à la grotte de Font-de-Gaume.

chasseurs cueilleurs, vers 10 000 BP, laissant une ultime trace de leur art avec les gravures de la grotte de la Mairie à Teyjat.

La pérennité de l'occupation humaine est l'un des points forts de la préhistoire périgourdine. Celle de l'expression symbolique des hommes modernes en est un autre, plus frappant encore. L'art pariétal de Font-de-Gaume en constitue l'un des plus brillants témoignages.

Située sur la rive gauche de la vallée de la Beune à moins de 1 kilomètre du centre des Eyzies-de-Tayac et de la confluence avec la Vézère, la grotte de Font-de-Gaume s'ouvre dans le calcaire coniacien largement entaillé pour dégager les escarpements rocheux emblématiques du Périgord noir. C'est une cavité cutanée dont le réseau karstique se développe à une vingtaine de mètres de la surface du plateau.

Accessible par un sentier longeant sur 400 mètres une corniche surplombant le vallon, la caverne se compose d'une galerie principale de 120 mètres de longueur empruntant une diaclase (fissure) orientée sensiblement nord-ouest-sud-est, rythmée de plusieurs étroitures dont, à 65 mètres de l'entrée, le fameux Rubicon. Plusieurs boyaux, souvent impénétrables, et trois diverticules latéraux – galeries Vidal, Prat et latérale – se greffent à l'ensemble du dispositif.

Le réseau karstique se développe horizontalement. La géométrie de la galerie est assez régulière : sa largeur varie entre 1,50 et 3 mètres au gré des rétrécissements ponctuels dus au concrétionnement et sa hauteur, plutôt homogène dans la galerie d'accès (entre 1,60 et 3 mètres), peut atteindre une dizaine de mètres dans la galerie principale.

La découverte de Font-de-Gaume

Le 12 septembre 1901, après la formidable découverte, quatre jours plus tôt, des gravures de Combarelles par Louis Capitan, Henri Breuil et Denis Peyrony, c'est ce dernier qui, seul et encore sous le coup de l'émotion, se lance dans l'ascension des falaises de Font-de-Gaume. Au cours de cette semaine miraculeuse sont mis au jour deux des plus extraordinaires sanctuaires de la région.

Peyrony gravit ainsi 400 mètres de pente raide pour atteindre une caverne que tous les villageois connaissent – la grotte des Sourds –, occupée à l'époque médiévale et encore récemment utilisée comme bergerie. À la lueur d'une bougie, il progresse sur une cinquantaine de mètres dans une galerie, ancienne diaclase élargie par les eaux : il n'y voit rien de particulier, sinon quelques graffitis modernes. Mais, après avoir franchi une étroiture (le futur Rubicon), le miracle de Combarelles se reproduit : au lieu des gravures découvertes quatre jours plus tôt, ce sont ici des taches de couleur, plus

L'abbé Henri Breuil devant la grotte de Font-de-Gaume, vers 1901, époque de sa découverte.

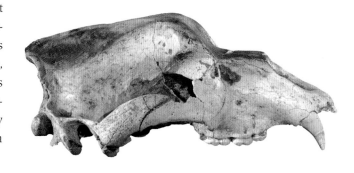

fragiles et plus émouvantes, qui s'organisent en de fantastiques peintures pariétales au fur et à mesure que l'œil s'habitue à la pénombre.

Peyrony informe immédiatement ses deux compagnons de fouilles par télégramme et, le samedi suivant, les trois hommes entreprennent l'exploration approfondie de la cavité. Ils dressent un plan et reconnaissent déjà près de quatre-vingts figures gravées ou peintes. Soucieux de protéger leurs droits scientifiques, le docteur Capitan rédige sur place une note pour l'Académie des sciences. Émile Rivière, découvreur en 1895 des peintures contestées de La Mouthe, prospecte en effet dans la région.

Après Combarelles qui, selon Breuil, constitue « une découverte d'envergure [...], un énorme pétard dans le monde de la préhistoire » – de quoi amener Élie Massenat à « rentrer sous terre » et Rivière à « crever de jalousie » –, Font-de-Gaume apporte un argument décisif aux partisans de l'homme préhistorique capable d'expression symbolique. Après la polémique née autour d'Altamira, dans une moindre mesure de Pair-non-Pair et, surtout, de La Mouthe, le corpus d'œuvres pariétales mises au jour est désormais suffisamment conséquent pour convaincre les plus réfractaires de l'authenticité de ces peintures. Parmi eux, Émile Cartailhac qui, en 1902, publie son article « La grotte d'Altamira. Mea culpa d'un sceptique ».

Les découvertes qui suivront seront aussitôt reconnues à leur juste valeur : principalement en Périgord, ce seront les œuvres pariétales de la Grèze (1902), de Teyjat (1903-1904) ou de Cap-Blanc (1909).

Publiée en 1910 par les trois découvreurs grâce au mécénat du prince Albert Ier de Monaco, la monographie de Font-de-Gaume constitue un second ouvrage de grande qualité après la sortie du premier volume consacré à la grotte d'Altamira, cavité déjà célèbre qui n'était pas sans présenter de nombreuses analogies (polychromie, prééminence de bisons) avec Font-de-Gaume. L'ouvrage centenaire de Capitan, Breuil et Peyrony reste, en l'absence d'étude scientifique contemporaine, la référence en la matière.

Côte et crâne d'ours des cavernes découverts dans la grotte de Font-de-Gaume. La côte porte des traces de découpe au silex, ce qui pourrait indiquer l'exploitation de l'animal mort durant l'hibernation par l'homme de Néandertal.

La présence humaine

En raison de sa position dominante, et donc à l'abri des phénomènes de comblements des vallées qui se produisirent généralement à l'holocène, la grotte de Font-de-Gaume, à la différence de Lascaux, est largement accessible à l'homme depuis des dizaines de millénaires. De fait, de nombreux objets y ont été collectés et donnent quelques modestes informations sur la fréquentation humaine.

Le premier occupant de la cavité fut semble-t-il l'ours des cavernes, animal de grande taille plutôt végétarien disparu à la fin de l'ère glaciaire. Outre des griffades sur les parois, des restes osseux appartenant à une dizaine d'individus, femelles et petits sans doute morts durant leur hibernation, ont été exhumés, notamment lors des fouilles de François Prat en 1967-1968. Quelques-uns de ces ossements portent néanmoins des traces de découpe de silex, ce qui pourrait indiquer que les derniers néandertaliens, appartenant à la culture de Châtelperron, auraient exploité ces carcasses pour en récupérer des éléments intéressants tels que viande et peau. En cours de datation, cette première présence humaine remonte à environ 40 000 ans. On a en effet retrouvé une série significative d'outils caractéristiques de cette période, dont une sorte de pointe à dos courbe dite « de Châtelperron », qui est bien représentée dans le matériel lithique.

Immédiatement postérieurs, voire contemporains, les premiers hommes modernes, *Homo sapiens sapiens*, ont également laissé des traces matérielles de leur passage, des objets en bois de renne et en silex assez typiques, en particulier au niveau du carrefour. Il est plutôt exceptionnel de trouver des preuves de la pénétration en profondeur d'une cavité antérieure à 30 000 ans ; les motivations pour s'aventurer en de tels lieux étaient peut-être plus symboliques qu'utilitaires, mais restent aujourd'hui indiscernables.

Dix mille ans plus tard, au dernier maximum glaciaire, les chasseurs solutréens ont eux aussi abandonné des traces ténues de leurs activités sous la forme de trois pointes en silex à retouches foliacées.

Curieusement, alors que le décor pariétal de Font-de-Gaume est rapporté à la culture du magdalénien moyen supérieur, aucun objet lithique ou osseux vraiment caractéristique de cette période n'a été retrouvé dans la grotte. Certes, le matériel lithique, assez laminaire, suggère cette attribution chronologique. Un seul objet, une modeste gravure de tête de cheval sur un fragment de vertèbre, découverte par Henri Breuil dans la galerie principale, stylistiquement classique du magdalénien supérieur, constitue cependant un témoignage remarquable d'une relation probable entre art mobilier et pariétal. Il pourrait aussi laisser supposer une datation légèrement plus récente de ce dernier.

Finalement, en dehors de quelques lampes potentielles, de crayons de colorant naturel et d'objets en silex présentant des traces d'usure probablement imputables au travail de gravure pariétale, les objets découverts dans le sanctuaire, qui couvrent une large fourchette chronologique, semblent indépendants des pratiques symboliques ayant présidé à la décoration des parois.

L'exceptionnelle qualité des vestiges conservés de l'époque paléolithique a quelque peu occulté l'étude de l'archéologie

plus récente. L'analyse des matériels des époques néolithique et âge de bronze est, malheureusement, plutôt négligée dans la région. Pourtant, des tessons de céramiques – tournées ou non –, de tous âges, parsemaient différents secteurs de la cavité, du moins jusqu'au Rubicon. Bien que non datés, quelques restes humains (fragments crâniens et d'os longs) remontent vraisemblablement à l'âge de bronze, période bien attestée dans la grotte grâce à la découverte d'une armature de flèche en os à pédoncule et ailerons et d'une belle épingle en bronze.

L'occupation médiévale et moderne a également laissé des traces dans les parties les plus accessibles de la grotte. Les aménagements troglodytiques au-dessus du porche en témoignent, ainsi que des tessons de céramique vernissée. On sait par ailleurs que le vestibule et les deux entrées étaient utilisés au XIXe siècle comme bergerie. Enfin, la fréquentation récente de la grotte de Font-de-Gaume est surtout confirmée par des graffitis d'époque moderne ou contemporaine : plus de

Objets découverts dans la grotte de Font-de-Gaume. De gauche à droite : une pointe de Châtelperron (vers 40 000 BP), un grattoir sur lame aurignacienne (vers 30 000 BP) et une pièce bifaciale fragmentée du solutréen (vers 20 000 BP). Collection du musée national de Préhistoire, Les Eyzies-de-Tayac.

soixante-dix, bien lisibles, comportent nom ou initiale et quelques origines géographiques. Souvent sur les parois, plus rarement au plafond, ils affectent tous les secteurs de la cavité, y compris au-delà du Rubicon. Les premiers remontent à 1874, la majorité se répartit entre 1880 et 1900 et certains, postérieurs à la découverte, laissent perplexe sur les premières mesures de protection de la grotte.

Vers le début des années 1920, l'électrification de Font-de-Gaume, plus ou moins contemporaine de la création du syndicat d'initiative des Eyzies, a constitué un nouveau pas vers la protection du décor pariétal. Depuis lors, aucun graffiti n'est venu détériorer les parois.

Répartition et organisation du décor

La morphologie générale de la cavité, assez linéaire, a permis l'individualisation de certains espaces dont les artistes paléolithiques ont su tirer parti. Le décor se répartit sans uniformité sur l'ensemble de la galerie axiale, de part et d'autre du Rubicon, dans une alternance de grandes compositions mises en scène et de dessins plus simples ou plus intimes dans les secteurs étroits. Les boyaux latéraux sont peu ornés : on peut y voir une volonté de la part des artistes, de même, peut-être, que le résultat d'une érosion due à la circulation de l'air. Seule la galerie latérale, plus confinée et donc mieux conservée, abrite diverses représentations de cheval et, après un rétrécissement, quelques figures dans un secteur moucheté de ponctuations. Avant le Rubicon, la galerie axiale est ornée d'un décor résiduel sur des parois fortement altérées. Au-delà du Rubicon, thèmes et techniques se répondent d'une paroi à l'autre pour offrir une forte densité d'œuvres majeures mettant à l'honneur mammouths et surtout bisons qui, passé le carrefour, se concentrent sur la gauche. Au terme de la galerie principale, le calcaire se creuse d'une rotonde appelée le cabinet des bisons. Celui-ci accueille une composition tournante de douze animaux occupant l'intégralité de l'espace. Non visitable, le diverticule final est décoré de divers animaux rares : un rhinocéros, un félin, sept chevaux gravés… Ces derniers apparaissent, en alternance avec les cervidés, dans tous les secteurs de la grotte.

Induit par la linéarité générale du lieu, le décor adopte une disposition en bande avec un registre à hauteur d'homme et un autre nettement au-dessus, mais plus discret. Exceptionnellement, quelques animaux sont gravés au niveau du sol. Juxtapositions et superpositions des œuvres se combinent pour établir, éventuellement, une microchronologie de la création artistique. Les compositions en file sont d'interprétation délicate : ont-elles été délibérément conçues comme telles ? Ou, plus simplement, s'agit-il d'images juxtaposées les unes aux autres, la morphologie de la paroi dictant la place où inscrire l'animal ? L'absence de recul due à l'étroitesse des galeries, de même que certaines superpositions vont dans ce sens, même si quelques scènes (les rennes affrontés par exemple) sont parfaitement évidentes.

Les techniques

Quels que soient les secteurs de la grotte, on y trouve différentes techniques souvent intimement associées. Outre le dessin, rouge ou noir, exécuté avec un crayon, c'est-à-dire un fragment de colorant naturel, la peinture donne les grandes lignes de l'animal. Celles-ci sont accentuées par les nuances de la couleur, tandis que la gravure souligne les détails et

Cette photographie de bison (numéroté 42 sur la frise de l'abbé Breuil) met bien en évidence l'utilisation du relief de la paroi rocheuse par l'artiste. Le ventre de l'animal et l'amorce de sa patte avant sont clairement inscrits dans la pierre.

délimite les formes. Les reliefs naturels – fissures, anfractuosités, concavités ou convexités – aident à cadrer un animal ou à en évoquer une partie (dos, pattes, cornes, etc.), voire à suggérer la ligne de sol. Cette pratique constitue un argument pour l'interprétation chamanique de l'art pariétal : l'animal existe déjà dans la roche, le dessin n'intervenant que pour le révéler et l'en extraire.

Les matières colorantes – hématites, ocres, oxydes de fer – sont recueillies à proximité, parfois dans la cavité même (oxyde de manganèse). Le charbon de bois n'a, semble-t-il, jamais été utilisé en crayon. La palette de couleurs varie de l'ocre rouge au brun noir du manganèse. Certains éléments ont pu être chauffés pour en modifier la teinte : réduits en poudre puis homogénéisés avec un liant (graisse ou eau), ils sont à la base de la peinture au sens propre du terme. La palette des couleurs disponibles est enrichie par le jeu du mélange avec l'argile et le blanc du calcaire fraîchement raclé ou gravé.

Les sujets

Dans son ensemble, le décor pariétal des grands sanctuaires de la seconde partie du paléolithique supérieur se répartit en un tiers de signes plus ou moins complexes et deux tiers d'animaux variés. Les figurations humaines, toujours très schématiques, restent anecdotiques. Font-de-Gaume n'échappe pas à cette règle. Il est toutefois difficile de fournir un décompte précis des thèmes qui y prennent place car certains éléments du décor, très sommaires, sont d'interprétation délicate. Par ailleurs, quelques découvertes tardives, encore inédites, n'ont pas été comptabilisées. On s'accorde néanmoins pour retenir un peu plus de deux cents représentations animales dominées par le bison (environ quatre-vingts), qui s'impose par sa facture polychrome, suivi par plus de quarante chevaux, traités avec beaucoup de discrétion, et une petite quarantaine de mammouths, souvent gravés et passant volontiers inaperçus. Une vingtaine de cervidés (cerfs et rennes), quelques capridés et des animaux isolés ou par paire (rhinocéros, félins, ours, loup, aurochs…)

complètent le dispositif, enrichi d'une centaine de signes si l'on décompte à l'unité les ponctuations de couleur, dont vingt-cinq tectiformes (voir p. 12-13) très caractéristiques de la proche région des Eyzies. Ces tectiformes, présents également à Combarelles, Bernifal et Roufignac, témoignent d'une communauté de thèmes mais aussi de techniques et de styles qui traduisent sans doute des comportements symboliques comparables, même si les signes les plus fondamentaux montrent des pourcentages de répartition très variables. Dans les « grottes à mammouths et tectiformes », cette parenté n'aboutit jamais à une uniformité des constructions pariétales.

A priori, les artistes ne représentent pratiquement jamais leurs congénères. Ils leur préfèrent des animaux marquant fortement l'imaginaire – gros herbivores, carnivores – et semblent éviter certains gibiers essentiels à leur survie, rennes notamment, même si les chevaux sont plus nombreux. Ce décalage entre la faune représentée et la faune chassée, du moins dans le sud-ouest de la France, n'a pas manqué de surprendre les spécialistes de l'art pariétal. Si toutes les théories explicatives – depuis celles de Salomon Reinach ou d'André Leroi-Gourhan, voire de Jean Clottes – s'accordent sur un point (la prééminence du monde animal comme base de l'expression symbolique), aucune ne résiste à une analyse détaillée.

Leur premier défaut est une tendance implicitement globalisatrice : une seule hypothèse peut-elle vraiment rendre compte d'un phénomène réparti sur vingt-cinq millénaires et plus de 1 million de kilomètres carrés? Peut-on vraiment apprécier cet apparent déséquilibre entre la faune chassée et la faune représentée, alors que l'art pariétal – à la différence des échantillons fauniques ou de l'art mobilier, recueillis en contexte archéologique – est très souvent mal daté? Le magdalénien sensu largo est ainsi constitué de phases aux limites assez élastiques et d'épisodes climatiques assez contrastés. Chacun s'accordera en effet pour remarquer que l'iconographie de l'art des objets présente un décalage bien moindre avec les faunes collectées dans les mêmes couches.

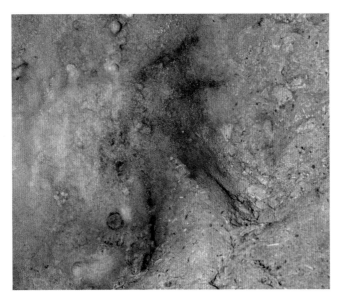

Deux figures animales situées en paroi droite de la première partie de la galerie principale. En haut, en tracé linéaire rouge, un capridé (peut-être un bouquetin); en bas, un petit félin gravé d'une longueur d'environ 25 centimètres.

moments les plus froids, les populations animales – et corrélativement humaines –, à la recherche de conditions climatiques plus favorables, ont été contraintes à d'importantes migrations, de la plaine européenne à la barrière pyrénéenne et au-delà. Durant les périodes plus clémentes, les groupes humains ont, au contraire, recolonisé de nouvelles terres, vers le Nord par exemple. À l'occasion de ces pulsations, ces communautés très mobiles ont peut-être emporté avec elles leurs mythes fondateurs, un décalage s'établissant alors entre les faunes représentées et celles rencontrées lors des moments de reconquête de nouveaux territoires. On remarquera que cerfs, aurochs, bouquetins – trois grands classiques de l'art animalier de l'autre côté des Pyrénées, en plus des chevaux et des bovidés – correspondent finalement assez bien aux espèces les plus consommées dans le nord de l'Espagne.

Les bisons

Appartenant au groupe restreint des « grottes à mammouths et tectiformes », Font-de-Gaume est avant tout la « caverne aux bisons », où plus de quatre-vingts exemplaires de ce bovidé dominent, non seulement par le nombre mais aussi, comme à Altamira, par leur qualité graphique et picturale. Ces chiffres sont d'autant plus remarquables lorsqu'on les compare à l'ensemble du bestiaire de la vallée de la Vézère, où vingt sites offrent, tous supports confondus, en moyenne dix figurations de bisons, ce qui prouve l'importance de l'animal, participant moins à un catalogue cynégétique qu'à une mythologie complexe.

À Font-de-Gaume, l'image du bison, parfois interchangeable avec celle du mammouth, illustre la grande richesse plastique du magdalénien. Ses représentations, plus homogènes et plus proches de leurs modèles vivants au début de la galerie principale, mis à part le traitement du chignon, s'en éloignent, se diversifient et s'allongent à mesure que l'on s'enfonce dans les profondeurs de la grotte. Quelques détails naturalistes – cornes presque systématiques et oreilles plus rares – s'agrègent à une morphologie générale plus conventionnelle. L'animation des animaux, suggérée par la flexion de certains segments, demeure anecdotique.

Les dix derniers millénaires du paléolithique récent présentent des oscillations climatiques très diversifiées, depuis le maximum glaciaire du solutréen – à cette époque, l'ovibos (le bœuf musqué), qui vit actuellement près du cercle polaire, apparaît sur le territoire et dans les représentations artistiques – jusqu'à l'amorce du réchauffement de l'holocène, en passant par différentes alternances climatiques plutôt contrastées. Aux

Côté technique, peintures et gravures se combinent harmonieusement pour produire des images structurées par le relief naturel de la grotte. La taille moyenne de leur gabarit est le résultat d'un champ manuel (l'espace accessible à la main d'un artiste immobile) réduit.

Alors que son caractère pérenne n'a sans doute pas échappé à l'artiste paléolithique, la gravure, par ses lignes fines et régulières plus ou moins profondes, ou au contraire ménagée par raclage large, particulièrement pour les plages colorées, reste moins aisée à déchiffrer que la peinture et constitue en cela un art peut-être plus confidentiel, voire sacré. En revanche, dépassant le simple dessin au trait rouge ou noir, la peinture produit un art spectaculaire auquel devaient être sensibles des groupes plus nombreux. Le traitement, par estompe et dégradé – peut-être imputable au mélange ou à la migration postérieure des pigments –, justifie partiellement le terme de polychromie, ou plutôt bichromie, souvent retenu pour évoquer les bisons de Font-de-Gaume.

Les mammouths

Plutôt rare dans l'art pariétal en général, quasi absent de certaines régions (telles que l'Ariège), le mammouth apparaît à Font-de-Gaume comme un thème relativement important, avec une quarantaine de représentations plus ou moins reconnaissables. Outre quelques images très sommaires (dans la galerie d'accès par exemple), les mammouths vraiment identifiables en tant que tels se répartissent en trois groupes principaux selon leur morphologie plus ou moins arrondie, une ensellure plus ou moins marquée, la largeur de leurs têtes et la présence de divers détails anatomiques eux-mêmes sujets à certaines variations – défense, trompe, patte, pelage, œil, etc.

En règle générale, les conventions graphiques mettent l'accent sur des caractéristiques fondamentales choisies par les artistes ; il s'agit la plupart du temps de la ligne dorsale et cervico-dorsale, diversement bombée, qui constitue la charpente de construction sur laquelle se greffent éventuellement différents détails. Ces conventions accusent quelques défauts :

l'animal n'est jamais une planche anatomique, le réalisme de certains éléments étant plus intellectuel que visuel, comme si l'artiste représentait le mammouth en fonction de ses souvenirs. Chaque image conserve son identité propre, sans que l'on puisse jamais la superposer parfaitement à une autre.

Le plus souvent représenté en profil absolu avec la tête à droite – une seule fois à gauche –, plus rarement en plan ou en perspective tordue, l'animal n'est jamais isolé, toujours en file (pour évoquer une famille ?), très statique et sans effet dynamique à l'exception de la trompe.

Presque tous sont gravés en trait simple ou par raclage et dessinés en noir. Ils prennent place sur des surfaces planes, indépendants du relief naturel et ne fréquentent que certains espaces de la grotte, surtout au début de la galerie principale, et surtout en paroi gauche.

Marginalisés par les nombreux bisons, les mammouths sont, dans une certaine ambiguïté graphique, huit fois associés à ces bovidés polychromes. En plus de ces partenaires privilégiés, le mammouth cohabite volontiers avec des signes tectiformes et se superpose, en noir, à des animaux fréquemment dessinés en rouge, tels rennes et chevaux.

Les chevaux

Avec trente-neuf individus reconnus, les chevaux constituent un thème iconographique non négligeable, d'autant qu'ils affichent une certaine originalité. La diversité est en effet de règle dans leur représentation : on trouve des animaux complets et très détaillés jusqu'à de simples évocations, sous la forme d'un chanfrein, les têtes isolées dominant parmi les représentations partielles.

Jamais figurés isolément, toujours rassemblés en groupe de trois à cinq individus, les chevaux se répartissent dans l'ensemble de l'espace orné, largement associés aux bisons, aux mammouths et aux tectiformes. La majorité d'entre eux, en profil gauche ou droit, sont représentés comme « sortant » de la cavité.

Les tectiformes

Ainsi dénommés par Breuil en raison de leur morphologie évoquant le toit d'une habitation, les tectiformes constituent un signe rare, avec seulement soixante exemplaires connus, et très spécifique de la région des Eyzies-de-Tayac. Outre à Font-de-Gaume, on les rencontre à Combarelles, Bernifal et Rouffignac.

Essentiellement pariétaux, inconnus dans l'art mobilier, les tectiformes sont aisément identifiables et montrent une réelle homogénéité, qui n'exclut pas de nombreuses morphologies : certains sont ramifiés, d'autres triangulaires ou pentagonaux – dominant à Font-de-Gaume –, tandis que quelques-uns présentent un plumet, sorte de prolongement du mât principal vers l'extérieur, l'intérieur de la structure pouvant être garni de signes et de chevrons plus ou moins complexes. Les techniques d'exécution sont elles aussi variées : gravure plus ou moins fine au silex, dessin ou peinture aux traits simples ou tracés en pointillés, couleur quasi systématiquement rouge à Font-de-Gaume excepté un exemplaire noir dans le diverticule final. Aucun tectiforme n'est suffisamment proche d'un autre au point de pouvoir lui être superposé.

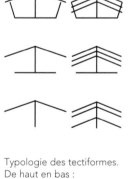

Typologie des tectiformes. De haut en bas : pentagonal, triangulaire et ramifié, dans leurs versions simple (à gauche) et composée (à droite).

Trois exemples de tectiformes. Le premier, gravé, se situe dans la chapelle aux Bisons ; le deuxième, également gravé, et le troisième (signe indéterminé ou véritable tectiforme ?), dessiné en tracé rouge, se trouvent avant le passage du Rubicon.

Quelquefois isolé, le tectiforme cohabite volontiers avec ses semblables, parfois par groupe de deux, trois ou quatre exemplaires, mais surtout avec des animaux – chevaux, mammouths et le plus souvent bisons –, dans de véritables superpositions qui sont fréquentes à Font-de-Gaume.

La grotte rassemble vingt-cinq tectiformes indubitables, soit presque la moitié du corpus connu. Les signes sont répartis dans tout l'espace, dès avant le Rubicon et jusqu'au diverticule final, à l'exception de la galerie Prat. Font-de-Gaume apparaît ainsi comme le sanctuaire de référence pour l'étude et l'interprétation de cette figure qui représente plus qu'un marqueur ethnique structurant un territoire symbolique : sa complexité et sa richesse sémantique particulière suggèrent une polysémie étendue dépassant la fonction d'emblème ethnoculturel.

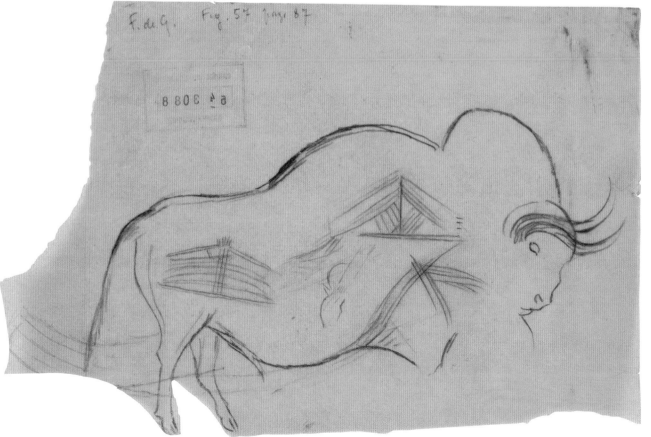

Photographiée aujourd'hui et relevée par Henri Breuil au moment de la découverte de la grotte, cette figure est un bel exemple associant tectiformes et bison. Elle se situe sur la paroi gauche de la galerie principale. Sur la frise composée par Breuil, elle porte le numéro 9.

Datation des décors

Le décor pariétal de Font-de-Gaume demeure, plus d'un siècle après sa découverte, mal daté. En effet, à la différence des dessins exécutés par exemple dans les Pyrénées ou dans la vallée du Rhône au charbon de bois, et donc susceptibles d'une analyse au carbone 14, les pigments de Font-de-Gaume, essentiellement minéraux (oxyde de fer ou de manganèse), ne peuvent faire l'objet d'une datation directe. Seules des méthodes indirectes peuvent donc être utilisées, telles l'étude du contexte archéologique ou la comparaison stylistique. Pour la datation, le contexte archéologique ne peut qu'indiquer une tendance. On sait que la grotte fut occupée depuis l'homme de Néandertal jusqu'aux périodes récentes. Mais, d'une part, la fréquentation d'un lieu n'implique pas nécessairement la création de son décor et, d'autre part, la quasi-absence de sédimentation et le télescopage des très fins niveaux archéologiques, souvent comprimés, voire franchement indiscernables, n'apportent pratiquement aucune aide. Dès lors, l'ultime recours reste la datation par comparaison stylistique avec des œuvres pariétales ou mobilières, voisines ou loin-

taines, mais mieux datées par le carbone 14. C'est ainsi que l'on peut attribuer le décor de Font-de-Gaume au magdalénien moyen supérieur, c'est-à-dire il y a 15 000 ans. Ceci est d'autant plus plausible que cette période montre des limites assez élastiques, à cinq siècles, voire à un millénaire près. Cette latitude a l'inconvénient d'être relativement imprécise, mais cadre plus sûrement avec la réalité de l'époque. De fait, rien ne prouve que l'ensemble du décor ait été produit par un seul artiste, même si l'absence de repeint – complément, retouche, « restauration » postérieurs à l'œuvre –, bien attestée dans certaines cavités, pourrait le laisser penser. Néanmoins, l'homogénéité du décor n'est qu'apparente. Reprenant en cela l'opinion déjà émise, notamment par Norbert Aujoulat, il est plus que probable que les dessins noirs du carrefour, assez rustiques, sont antérieurs à tous les autres. Un petit bison en perspective tordue paraît très archaïque sur le plan stylistique. Dans la galerie principale, des conventions légèrement différentes se révèlent selon que l'on observe les bisons du début ou de la fin. Les bovidés situés immédiatement après le Rubicon, avec leur morphologie si particulière – les formes de leurs profils, amplifiées au point de leur conférer l'apparence générale de mammouths –, sont très proches de ceux, également polychromes, d'Altamira, où les datations directes oscillent entre 15 500 et 13 000 ans. Ceux de la paroi gauche à l'extrémité de la galerie principale offrent un profil quelque peu différent et un traitement particulier des détails anatomiques qui rappellent immanquablement l'un des chefs-d'œuvre de l'art mobilier, le bison se léchant de l'abri de la Madeleine, stratigraphiquement daté aux alentours de 14 000 BP. C'est aussi l'époque à laquelle on peut rapporter le petit cheval gravé sur os appartenant au mobilier de Font-de-Gaume. Globalement, l'attribution au magdalénien moyen supérieur reste donc la plus plausible. Le sanctuaire, vraisemblablement décoré en plusieurs phases, a sans doute connu une fréquentation prolongée. Celle-ci a pu débuter au moment de l'optimum de la biomasse, sous ambiance froide, et couvre certainement les diverses oscillations postérieures initiant le réchauffement général qui a dû représenter, pour les populations préhistoriques, une période de changement radical ou même de stress.

« Bison se léchant », bois de renne, longueur : 10,5 centimètres, vers 14 000 BP. Découvert dans l'abri de la Madeleine, à Tursac, ce bison est très proche dans sa forme des bisons peints en paroi gauche de la seconde partie de la galerie principale de la grotte de Font-de-Gaume. Collection du musée national de Préhistoire, Les Eyzies-de-Tayac.

REGARDS SUR
LA GROTTE
DE FONT-DE-GAUME

Cette photographie aérienne du vallon de Font-de-Gaume offre un bon aperçu de l'environnement actuel de la grotte. Sur la gauche, le chemin d'accès est bien visible, appuyé sur un dépôt de pente qui remblaie la base des falaises. La végétation est particulièrement abondante. L'importante couverture boisée du plateau peut avoir une incidence directe sur la conservation de la cavité : elle contribue en effet à réguler la percolation des eaux pluviales, ainsi que certains échanges thermiques et gazeux.

Le porche de la galerie de Font-de-Gaume est parfaitement visible depuis la vallée. Il l'était d'autant plus à l'époque de la découverte (voir pages suivantes), la végétation étant alors clairsemée. Comme on peut le constater, l'ouverture est proche du sommet de la falaise. On devine, sur la gauche, l'entrée de l'autre boyau, dont la profondeur se limite à quelques mètres.

Cette photographie du
vallon de Font-de-Gaume
a été réalisée sur plaque
de verre au tout début
du XXe siècle, sans doute
à la demande de Denis
Peyrony. Le rocher y
apparaît dénudé :
l'absence de végétation est
imputable à la surexploitation
forestière de cette époque,
pour le bois d'œuvre et
de chauffe, mais aussi
à l'élevage extensif
de moutons et de chèvres.
Le fond du vallon était
quant à lui entièrement
colonisé par des cultures
vivrières, la population
très rurale de la commune
atteignant alors
environ 1 200 habitants.

Entrée

Galerie d'accès

Passage
du Rubicon

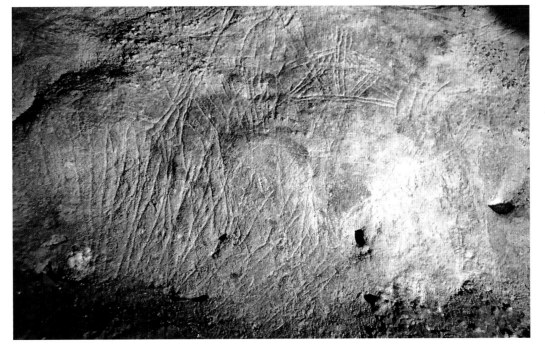

Déjà repérée dans les années 1980, cette modeste figuration de mammouth a été confirmée par Norbert Aujoulat en 1994. Désormais réduit à une ligne cervico-dorsale dessinée en rouge, appliquée au doigt ou au pinceau (tracé linéaire plat) et longue d'une cinquantaine de centimètres, cet animal n'en présente pas moins un intérêt majeur : situé bien avant le passage du Rubicon, il montre que le décor de Font-de-Gaume, aujourd'hui conservé dans la partie la plus confinée de la cavité, occupait sans doute largement les débuts de la galerie d'accès. De mauvaises conditions de conservation, imputables aux courants d'air, ont altéré les parois et certainement effacé de nombreuses figurations peintes, donc fragiles. À proximité, un tectiforme gravé, et par conséquent plus résistant à l'érosion du temps, vient conforter cette hypothèse de décor résiduel.

De la même façon, l'« antichambre du Rubicon », qui précède de quelques mètres l'étroiture salvatrice, constitue le premier ensemble décoré découvert par Denis Peyrony lors de son exploration en 1901. Plusieurs dessins noirs occupent en effet le haut de la paroi gauche : divers chevaux et deux mammouths réduits à leur ligne cervico-dorsale, de nombreuses stries verticales, particulièrement visibles, fines et serrées, disposées en faisceau, et un tectiforme gravé très net, en haut à droite de l'image.

L'entrée de la grotte vue depuis l'intérieur. La galerie s'est initialement creusée aux dépens d'une longue diaclase dans le calcaire encaissant de l'étage coniacien. L'homogénéité et la dureté de la roche induisent un profil transversal plus haut que large – la base jouissant d'une dimension plus importante en amorçant un resserrement progressif vers le haut – et des formes relativement adoucies au niveau de l'entrée.

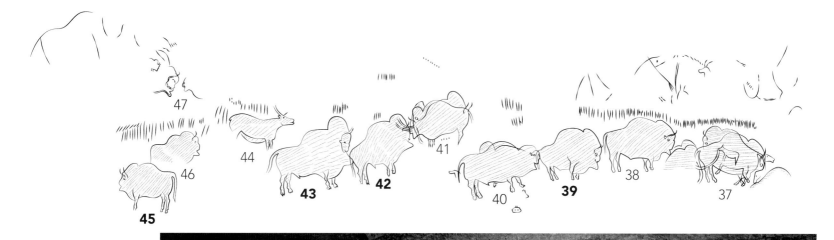

47

46

45

44

43

42

41

40

39

38

37

Ce bison est l'un des plus remarquables de cette polychromie si rare au paléolithique. Il est l'archétype de l'« hyperbison », nom donné par le préhistorien Patrick Paillet à cette construction graphique basée sur le déséquilibre entre l'avant et l'arrière-train. Cette disharmonie conventionnelle amplifie le garrot et la dorsale, ainsi que le chignon, dominé par des convexités très marquées. Le positionnement de l'animal, sur une surface irrégulière, à cheval sur une corniche, souligne l'exagération de ses formes dans une vision aux perspectives complexes. Le raclage, plus ou moins profond selon les endroits, s'ajoute à la polychromie pour faire ressortir, en clair, les attaches des membres. De fines gravures dessinent en détail l'œil, les cornes, les sabots bisulques, etc. À noter, les graffitis qui se superposent à l'animal. Ils sont antérieurs à 1910, date de l'ouverture de la grotte au public.

43

Galerie principale 1re partie

39

42

Ce bison polychrome s'intègre à la première file de bovidés de la paroi droite. Il est représenté selon des proportions assez justes. À la différence du dessin au doigt ou au pinceau, la couleur, préparée à l'avance, est appliquée au soufflé et enrichie par l'usage de rouges, de bruns, voire de noirs pour indiquer les variations ou le modelé du pelage. La couleur générale a été travaillée par raclage de certains segments, qui apparaissent en réserve, suggérant ainsi la profondeur. L'ensemble de l'animal est du reste raclé et gravé avec beaucoup de force. Le profil de la tête se rapproche d'un visage humain, selon une convention qu'il n'est pas rare d'observer sur d'autres exemplaires.

Procédant du même ensemble que le précédent, ce bison fait face à un autre animal. Il épouse parfaitement un renflement de la roche qui façonne ainsi sa forme générale. Plusieurs techniques sont ici classiquement associées : polychromie malheureusement affadie par le temps, raclage léger au niveau du contour supérieur et de la barbe – qui ne correspond pas exactement à celle qui est peinte – et gravure complémentaire pour le chignon, la tête, la queue, le ventre, les cuisses et les pattes avant. Quelques striages sont également visibles, notamment au niveau des reins, de l'épaule et du chignon.

Échappant au dispositif en file du registre supérieur, ce bison est situé au ras du sol, sous une petite concavité. Sa polychromie est assez résiduelle, avec une rare originalité : des cornes peintes en rouge, d'où son nom de « bison aux cornes rouges ». La gravure a joué un rôle très limité dans la finition, à l'exception de l'œil et du museau. En avant, quelques tracés noirs et rouges appartenaient sans doute à d'autres animaux.

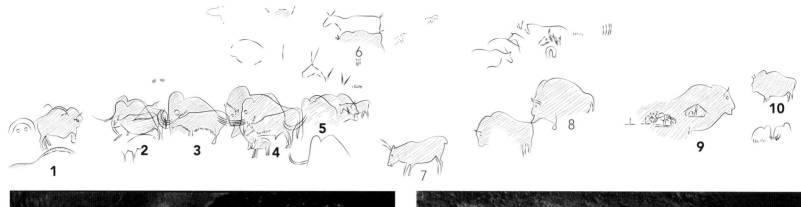

1   2   3   4   5   6   7   8   9   10

1

10

Cette image peinte
d'une couleur rouge-brun
très dégradée est le
premier bison publié
comme tel par Henri Breuil.
Il s'intègre au décor de plus
de 5 mètres de longueur
situé en paroi gauche
au début de la galerie
principale. Il est figuré en
pied, à peu près complet,
avec de nombreux
détails incisés légèrement
(front, barbe, fanon,
contre-ventral), gravés
plus profondément
(queue, échine, corne,
museau, œil, narine),
voire presque en bas relief
pour les cuisses et
les pattes arrière. On peut
remarquer, sur sa gauche
mais peu apparent,
la limite d'un curieux motif
– « une niche en quart
de sphère décorée » –,
qui entaille nettement
le calcaire de la paroi.

Concluant la frise complexe
de la paroi gauche dans
la première partie de la
galerie principale et situé
immédiatement avant le
panneau des rennes affrontés
(voir pages 30 à 33), ce petit
bison est réalisé en modelé
monochrome. Contrairement
à l'habitude, ses contours
ne sont pas gravés.
En raison de la convexité de
son support rocheux, la ligne
cervico-dorsale est beaucoup
plus bombée qu'il n'y paraît
sur le cliché. L'impression
de polychromie est liée
à la présence d'une tache
de couleur ocre sur le poitrail
de l'animal, ainsi que d'un trait
rouge doublant la bosse et
accentuant l'effet de volume.

Galerie
principale
1re partie

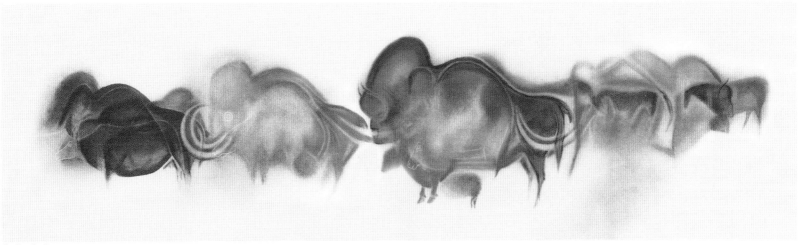

2, 3, 4, 5

À droite du n°**6**

Relevé réalisé
par l'abbé Breuil.

Ce tracé rouge
d'apparence linéaire est
en réalité constitué
d'une succession de petits
points de couleur presque
tangents. Réduit à un
protomé, ce bovidé genre
aurochs est en fait
l'exemplaire de droite
d'une paire. Ses longues
cornes insérées au sommet
du front, dirigées vers
l'avant à l'horizontale, sont
simplifiées au maximum.
En raison de son aspect
archaïque, ce type
de figure était considéré
par Breuil comme plus
ancien que les décors
polychromes.

À cet endroit de la paroi, les figures s'enchevêtrent. Des bisons aux formes généreuses se superposent en effet à des mammouths, des cervidés et quelques rares équidés qui sont généralement les plus anciennes figures du dispositif. Ce cheval brun-noir en profil gauche est recouvert par la tête et l'avant-train d'un bison rouge.

En partie située dans le n° **5**

Sous le n° **5**

Cette impression de foisonnement des corps qui s'enchevêtrent et de superposition de divers animaux est confirmée par cette image de lecture délicate : outre un bison et un mammouth dont on décèle certains segments corporels, il s'agit ici, probablement, d'un cervidé (un renne selon Breuil) en profil gauche. À noter, une autre superposition, moderne, celle de graffitis divers : on peut notamment lire « Lestrade », un nom sans doute gravé à la fin du XIXe siècle.

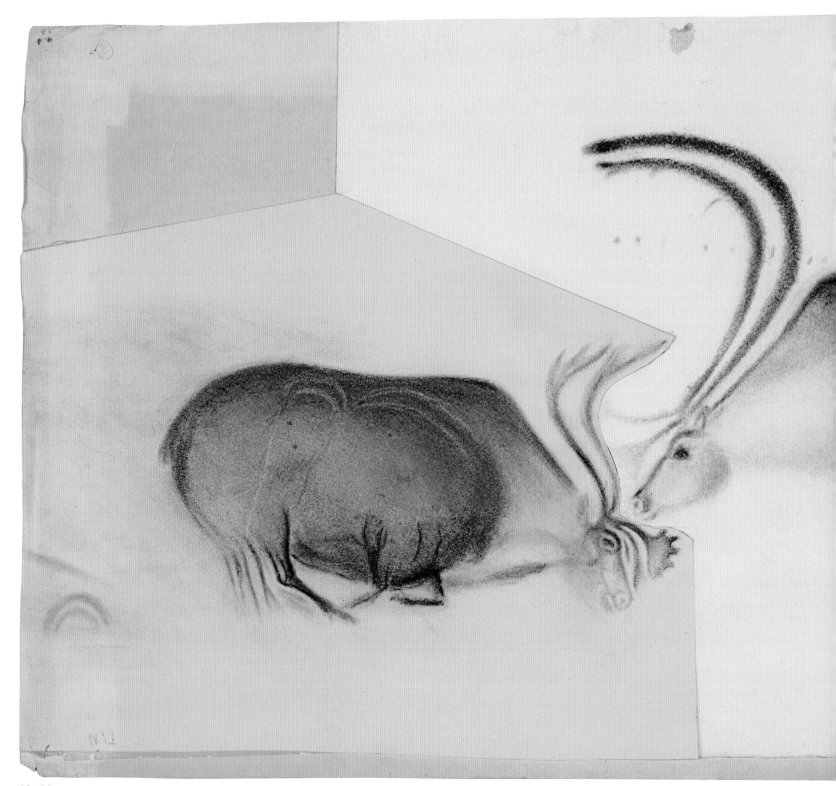

12, 11

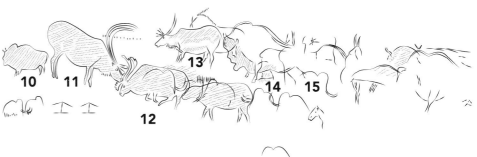

10 11 12 13 14 15

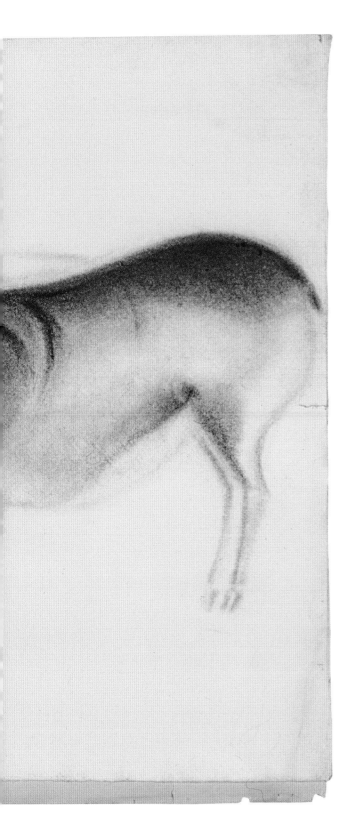

Carrefour

Sublimés par le relevé de Breuil (une représentation en miroir par rapport à l'original, voir pages suivantes), ces rennes affrontés situés sur la paroi gauche du carrefour constituent un des sommets de l'art pariétal magdalénien. Dans l'espace même de la cavité, ils occupent une position physique centrale, tandis que la qualité de leur exécution les place au premier plan d'une zone affichant pourtant une exceptionnelle densité de décor. Comme le confirment les observations récentes, ces rennes ne sont pas seulement deux animaux face à face : le lien « organique » évident entre ces deux cervidés, vraisemblablement mâle et femelle, en fait une des très rares scènes véritables de l'art pariétal.

Les deux rennes, l'un
à dominante noire, l'autre
rouge, allient réalisme
des silhouettes et
conventions graphiques
pour les ramures, stylisées
et hypertrophiées.
À gauche, le mâle est
dessiné en contour noir.
Le remplissage du corps,
autrefois peint, a été lessivé
par le temps. Son ventre
et ses pattes antérieures
sont largement raclés.
De nombreuses gravures
précisent le détail de
chacun des animaux (œil,
museau, etc.). À droite,
le renne rouge, plus petit –
vraisemblablement une
femelle –, est agenouillé.
Le mâle semble flairer
sa compagne : paraissant
sortir de sa bouche,
une aspérité naturelle
soulignée de gravures
représente sans doute
sa langue léchant le front
de la femelle.

Sur la paroi gauche, dans le recoin qui suit les rennes affrontés, se développe en hauteur une frise d'animaux noirs. À gauche, un très beau renne modelé, superposé à des traits plus anciens, est malheureusement privé de sa tête, détériorée par le temps. Son corps et ses pattes sont très finement gravés. Au centre de la composition, le grand bison noir est fortement perturbé par d'anciens dessins noirs linéaires et quelques raclages. Ses contours sont incomplètement raclés et gravés, tout comme certains détails anatomiques, et son arrière-train est fortement stalagmité. En superposition et de profil droit apparaît un cervidé aux bois symétriques. À droite, un petit bison noir en profil absolu, avec des cornes figurées en perspective semi-tordue, complète la frise. Cet ensemble, de technique assez sommaire, pourrait être plus ancien que les décors classiques de la grotte.

13, 14, 15

53

52   **51**

Immortalisé par le relevé
de Breuil, le fameux loup,
situé en hauteur à
l'extrémité de la corniche
gauche à l'entrée
de la galerie latérale,
est aujourd'hui presque
totalement évanescent.
Son corps est entièrement
recouvert de calcite.
Seules sont perceptibles
deux oreilles pointues
et une tête assez atypique.
Lors de sa découverte
l'animal était sans doute
mieux conservé. Breuil
le décrit comme une figure
polychrome faite sur
un frottis général rouge,
aux détails soigneusement
raclés (tête, pattes
antérieures). Le loup est
un animal rarement figuré,
tant dans le domaine
pariétal que mobilier.

53

Carrefour

52, 51

L'entrée de la galerie latérale comporte une riche décoration, malheureusement imparfaitement conservée. À proximité du loup, une frise de rennes apparaît sous la calcitation (voir p. 61), à environ 3,50 mètres de hauteur, au-dessus d'une corniche sur laquelle a peut-être grimpé l'artiste. À droite, un grand renne inachevé avec des bois stylisés, la tête noyée sous le concrétionnement, comprend de nombreux détails quelquefois gravés. Il se superpose à un dessin linéaire très fin figurant deux chevaux qui se suivent. À gauche, un autre renne plus réaliste possède une ramure aux palmes élargies bien visibles. À noter, de curieux signes en croix peints en rouge.

50

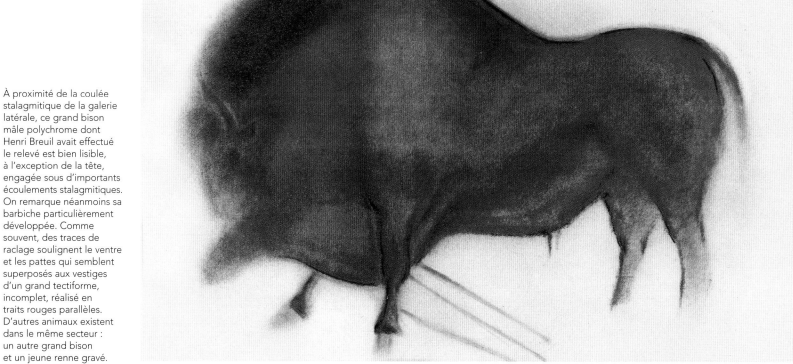

À proximité de la coulée stalagmitique de la galerie latérale, ce grand bison mâle polychrome dont Henri Breuil avait effectué le relevé est bien lisible, à l'exception de la tête, engagée sous d'importants écoulements stalagmitiques. On remarque néanmoins sa barbiche particulièrement développée. Comme souvent, des traces de raclage soulignent le ventre et les pattes qui semblent superposés aux vestiges d'un grand tectiforme, incomplet, réalisé en traits rouges parallèles. D'autres animaux existent dans le même secteur : un autre grand bison et un jeune renne gravé.

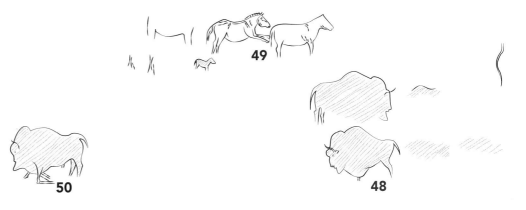

49

50

48

48

Galerie
latérale

Ce bison en profil gauche
est positionné à une très
faible hauteur par rapport
au sol original de la cavité.
De nombreuses zones
brunes et noires,
discernables sous le voile
de calcite, figuraient
peut-être déjà des dos
de bisons. Ce dernier est
parfaitement polychrome,
mais, à la différence
des autres, ne présente
pratiquement aucune trace
apparente de raclage.

Figure située
dans l'extrémité
de la galerie latérale.

49

Au fond de la galerie latérale, ce ruminant en tracé linéaire noir sur une coulée de concrétions est de taille modeste (moins de 50 centimètres). Sa longue queue peut faire penser à un bovidé, mais il peut aussi s'agir d'un renne en profil absolu au regard de la forme de sa ramure. Cette figuration est caractéristique de ce que Breuil dénommait un « dessin linéaire primitif noir ».

Ces deux chevaux en tracé noir de manganèse constituent peut-être une seconde véritable scène de Font-de-Gaume. Le premier (à droite), moins lisible, n'en est pas moins très intéressant : sa morphologie assez statique épouse parfaitement les formes du contour rocheux : l'abdomen est suggéré par une concavité naturelle, tandis que les cuisses et les pattes sont architecturées par deux coulées stalagmitiques. Des traits sommaires révèlent en quelque sorte l'animal déjà implicitement présent dans la paroi, ce qui conforte ici l'hypothèse chamanique. Le second (à gauche) est particulièrement net malgré la calcitation du support. Il est ici représenté dans une attitude dynamique – sautant – rare dans l'art pariétal, une possible attitude de pré-accouplement.

16, 17

16   17   18   19   20

Galerie
principale
2e partie

La fin de la galerie principale est essentiellement ornée sur la paroi gauche d'un ensemble d'au moins six bisons polychromes. À l'époque de la découverte, un voile de concrétion opacifiait ces figures. En 1966, une opération de restauration a permis d'éliminer mécaniquement la calcite et de dévoiler les plus beaux chefs-d'œuvre de Font-de-Gaume. Les bovidés – ici les deux premiers de la frise – sont représentés, pour cinq d'entre eux, à mi-hauteur de la paroi, le long d'un étroit bandeau rocheux qui forme un support idéal, l'entablement servant de ligne de sol à cette frise mythique de l'art magdalénien. Le sixième animal, en registre inférieur, accentue le phénomène de centrage de cette remarquable composition. Le premier bison du dispositif (à gauche) apparaît à la suite de diverses figures dont un cervidé.

Quoique semblant, avant restauration, peinte sur un fond bruni d'argile, sa polychromie est assez bien conservée. Des percolations d'eau ont quelque peu détérioré l'avant-train et la tête. Les contours sont entièrement raclés, les gravures fines soulignant les détails anatomiques (cornes, naseaux, barbiche…). Le deuxième bison (à droite) est encore plus extraordinaire que son prédécesseur. Il a été peint sur une surface concave, en prenant en compte les déformations optiques susceptibles d'en résulter. Il constitue un cas d'étude du phénomène d'anamorphose. La polychromie est ici particulièrement éclatante, soutenue par une parfaite maîtrise de l'estompe. De nombreux détails (cornes, yeux, etc.) sont renforcés par la technique de la réserve de couleur, la couleur blanche suggérant profondeur et perspective.

18

Figuré de profil gauche,
ce bison polychrome
a malheureusement
souffert d'écoulements,
de concrétionnements et
des altérations du support
rocheux. De fortes gravures
insistent sur le mufle,
la barbiche particulièrement
saillante, le fanon,
les pattes, le ventre,
les reins et la croupe.

Ce bel exemplaire,
d'exécution admirable,
est peint en profil gauche.
La perspective est parfaite,
à l'exception du traitement
plutôt original des pattes
arrière. Le chignon
est fortement relevé,
la barbiche très saillante.
Le modelé est traité en
brun-noir. La tête est
finement gravée avec
des oreilles figurées
schématiquement.

Sous le n° **18**

19

Ce bison figuré
en profil droit adopte
une morphologie
particulière : son corps
paraît allongé du fait
d'une bosse adoucie.
Toute la surface d'exécution
a été préparée par raclage.
L'ensemble des contours
est soigneusement gravé,
ainsi que de nombreux
détails : membre, oreille,
œil, corne, chignon, front
et barbiche velue.
La tête évoque, plus encore
que sur d'autres spécimens,
un profil anthropomorphe.
Un tectiforme est gravé
avec précision sur l'épaule
de l'animal.

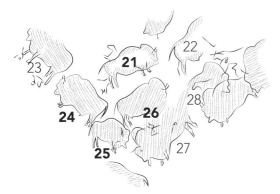

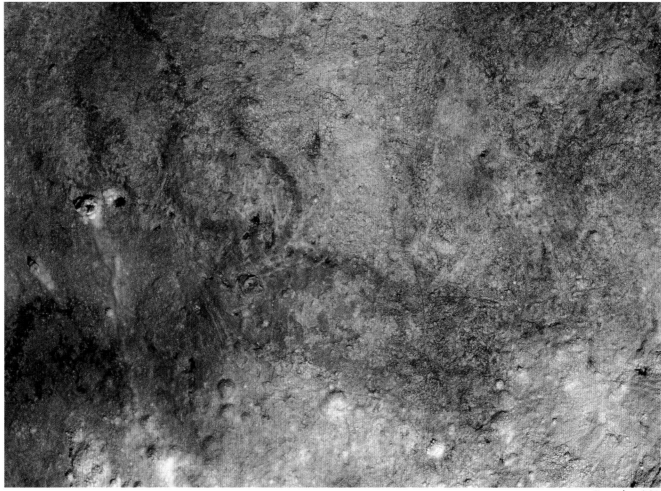

Dans le n° **27**

Ce bovidé du genre aurochs, dessiné en brun-noir, fait partie de ces divers animaux comblant les espaces entre les bisons, qui dominent la composition. Il est doté de cornes en lyre en perspective semi-tordue aisément reconnaissables. Sa partie bien visible se réduit au protomé.

Cabinet des bisons

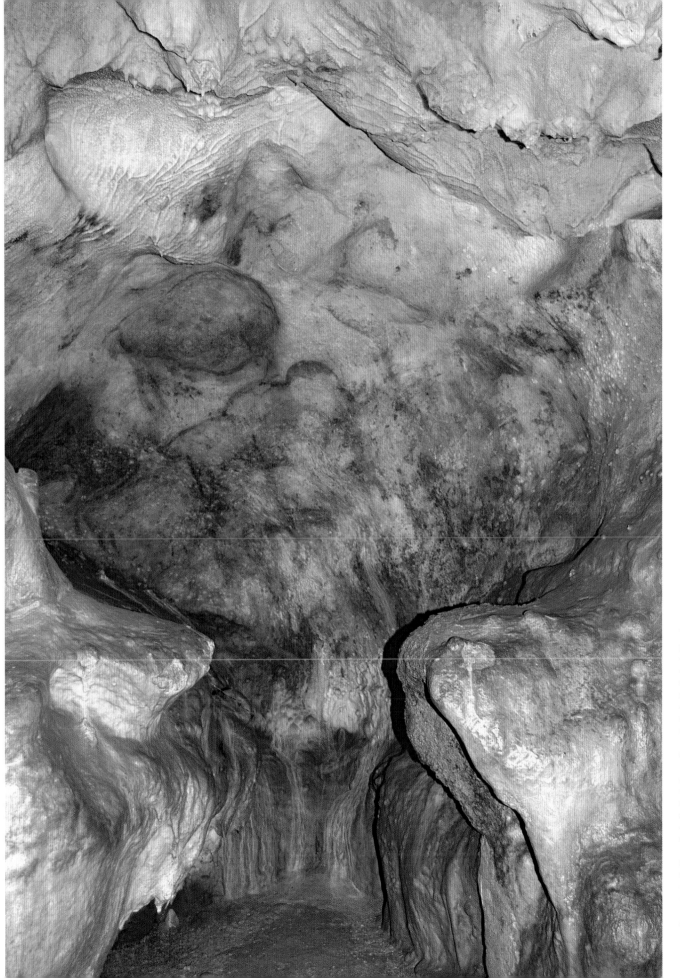

Tout au bout de la galerie principale, sur la paroi gauche précédant le diverticule final, le cabinet des bisons – également connu sous le nom de chapelle ou cabinet des petits bisons – est un espace exigu. Une douzaine de bisons couvrent les parois et la voûte de cette anfractuosité dans une composition tournante organisée en registres superposés. L'ensemble de la cavité semble avoir été enduit d'ocre rouge. Les bovidés du registre supérieur sont traités en noir, ceux du milieu en brun, tandis que ceux du registre inférieur sont polychromes. Leurs tailles sont variables.

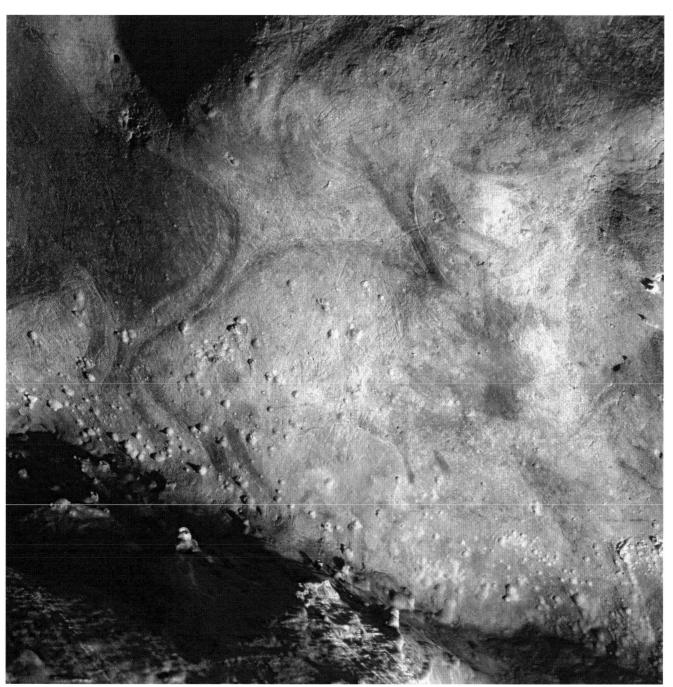

25

Ce petit bison polychrome aux contours nets est particulièrement remarquable du fait de la finesse des gravures et des nombreux détails anatomiques qu'il présente. Sa barbiche conventionnelle suggère la volonté de figurer un profil anthropomorphe.

Page de gauche
Ce bison tire parti de la nature du substrat à grains fins, entièrement raclé avant d'être enduit de rouge. Sa couleur générale est un brun très peu modelé, mais tous les détails anatomiques sont gravés avec une grande délicatesse. Il est entouré d'innombrables raclages et de gravures, et semble superposé à d'autres fresques. À remarquer, dans son chignon, un petit aurochs avec ses cornes en lyre et un curieux carré, en forme de chapeau renversé, gravé sous son ventre.

Ce grand bison polychrome aux proportions hypertrophiées – tête et chignon beaucoup trop grands par rapport à l'avant-train – n'est pas sans rappeler la morphologie générale de l'« hyperbison » (voir légende page 22, nº 43). La paroi a été peinte et raclée. L'animal, légèrement entamé par d'autres bovidés, montre un arrière-train et un dos très finement gravés, la tête demeurant de facture imparfaite. Lui sont associés, mais sans lui être forcément contemporains, une tête de bovidé, trois tectiformes et un ensemble de lignes pectinées, cintrées et plus ou moins parallèles, délicates à interpréter.

Page de droite
La préparation rouge uniforme du cabinet des bisons est bien visible sous ce bel animal, qui profite d'un relief particulier de la voûte pour s'intégrer au dispositif général. Il présente un aspect original, avec des pattes arrière largement détachées du corps et de petites cornes plutôt verticales. Des vestiges de dessins noirs correspondent sans doute à des décors antérieurs.

26

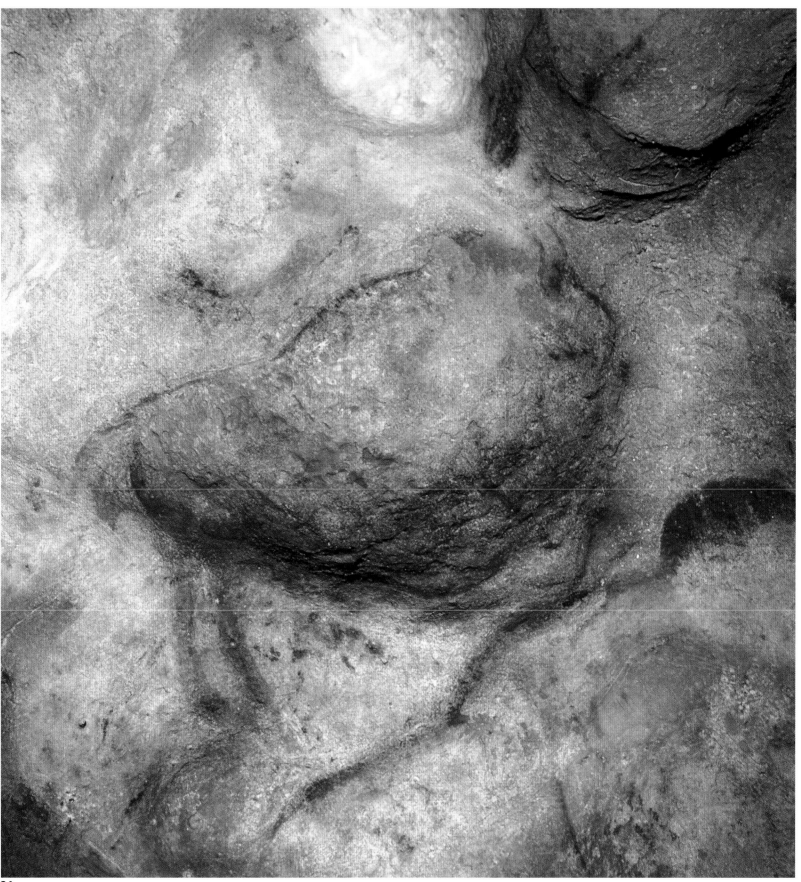

21

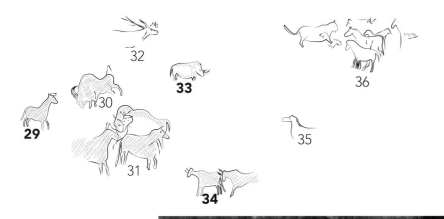

Le diverticule final, d'accès malaisé, comporte pourtant de multiples traces anthropiques de lecture difficile. Au niveau de son entrée, une zone montre une surface littéralement cannelée par des tracés digitaux qui sillonnent l'argile et mettent à nue la roche encaissante. Ces derniers sont par endroits mieux conservés car durcis par l'encroûtement. De nombreuses figurations zoomorphes sont présentes, mais assez mal conservées, certaines réalisées à l'aide d'une peinture polychrome aujourd'hui évanescente. Ce petit bovidé galopant tête à droite montre une partie antérieure (tête et cornes) moins visible par suite d'une percolation d'eau qui en a brouillé la lecture.

29

Diverticule
final

À gauche d'un cheval
et juste en dessous
d'un rhinocéros rouge
(voir page suivante),
deux bovidés d'une teinte
uniforme noire sont figurés
au ras du sol. Le premier
(derrière l'animal ici
reproduit), à moitié caché
par la calcite, a été
largement détérioré par
une flaque d'eau résiduelle.
Le second, plus net,
le corps massif en profil
gauche, est doté de
longues cornes recourbées,
en forme de lyre, pointées
vers l'avant. L'aurochs,
fréquemment représenté
dans l'art pariétal,
est à Font-de-Gaume
relégué au second plan,
au profit du bison.

34

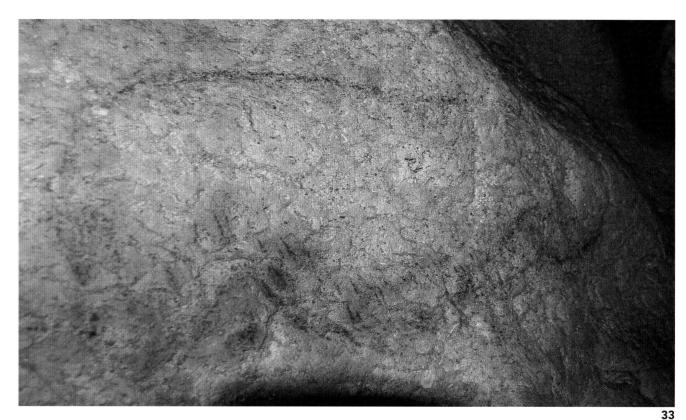

33

Dissimulé en paroi droite de la fissure terminale, ce tracé linéaire rouge a d'abord été aperçu par le marquis de Fayolle, puis par Maurice Féaux, dès 1902. En raison de sa forme insolite à l'époque et d'un angle de lecture malaisé, il a d'abord été interprété comme un mammouth, puis comme un tapir. Il s'agit en fait d'un très beau rhinocéros, identifiable grâce à son corps trapu, à ses cornes bien visibles et à ses oreilles courtes et droites. L'encolure porte une crinière figurée par de petits traits. Le pelage est nettement marqué. Un léger raclage souligne les contours. Ce thème animalier, associé aux tectiformes, est désormais bien connu dans la région suite à la découverte de la grotte de Rouffignac en 1956.

Toujours très schématisées, les représentations humaines, rares dans l'art paléolithique, occupent généralement une place à part dans les profondeurs des cavités ornées. Tel est effectivement le cas de cette dernière, située dans le diverticule terminal. Dessinée au noir de manganèse, elle semble se superposer à des tracés rouges plus anciens, peut-être un rhinocéros, comme la figure précédente. La silhouette humaine, de face, est facilement reconnaissable grâce à ses deux yeux ronds. Selon Breuil, le tracé noir à gauche pourrait suggérer un bras tendu.

SAVOIRS
AU-DELÀ...

Denis Peyrony (1869-1954), un préhistorien visionnaire

Préhistorien célèbre dès le début du XXᵉ siècle, largement reconnu par ses pairs et par la communauté scientifique internationale, Denis Peyrony est d'origine modeste. Né en 1869, au sein d'une famille d'agriculteurs installée à Cussac (Dordogne), il montre dès son plus jeune âge une telle aptitude à l'étude que ses parents, qui le destinaient à l'exploitation familiale, l'inscrivent à l'école supérieure de Belvès, avant qu'il ne rejoigne l'école normale d'instituteurs de Périgueux.

Nommé à l'école des Eyzies en 1891, intéressé par la préhistoire dont il se constitue une petite collection personnelle en visitant les sites avoisinants, il acquiert les rudiments de cette science dès sa rencontre, en 1894, avec le docteur Louis Capitan, professeur à l'École d'anthropologie de Paris. Trois ans plus tard naît une longue et solide amitié avec l'abbé Breuil, appelé à devenir l'un des plus grands noms de l'art pariétal. Comme le rappellera ce dernier au moment de la parution de la monographie sur Font-de-Gaume, en 1910, la « raison sociale adoptée pour la publication – Capitan-Breuil-Peyrony – fut bientôt connue dans le monde entier ».

Chercheur infatigable, homme de terrain, Denis Peyrony est avant tout un « chronologiste » : à ce titre, il participe à de nombreux grands débats stratigraphiques, tirant arguments de ses fouilles. En l'absence de tout moyen de datation absolue et au-delà du débat sur la succession des cultures des paléolithiques inférieur et moyen (acheuléen, tayacien, moustérien), Peyrony établit pour le paléolithique supérieur l'antériorité de l'aurignacien (vers – 30 000 ans aujourd'hui) sur le solutréen (vers – 20 000 ans) et lance l'hypothèse de son évolution parallèle avec le périgordien – terme désormais abandonné. Il définit également le terme de proto-magdalénien – aujourd'hui appelé gravettien final – d'après la séquence de l'abri de Laugerie-Haute, et la continuité stratigraphique entre le magdalénien et les premières cultures de transition post-paléolithiques.

Denis Peyrony devant l'entrée de la grotte de Font-de-Gaume, vers 1935.

Il est aussi parmi les premiers à reconnaître la capacité des humanités disparues à l'expression symbolique : ses travaux à La Ferrassie démontrent l'existence de rites funéraires complexes chez les néandertaliens, tandis qu'avec la découverte de Combarelles et de Font-de-Gaume, puis de tant d'autres sites après 1901 – Bernifal, Teyjat, etc. –, il apporte les arguments décisifs à la reconnaissance de l'art pariétal. Scientifique mais aussi protecteur du patrimoine, consterné par l'exploitation commerciale des richesses préhistoriques de la région, Denis Peyrony lutte très activement contre le pillage : son intervention est déterminante dans l'affaire de l'abri du Poisson, dans lequel se trouve une belle sculpture pariétale convoitée par le musée de Berlin ; intervention qui donne lieu à la toute première application, radicale, de « la loi sur les monuments historiques » de 1913 protégeant le patrimoine immobilier.

Denis Peyrony et l'abbé Breuil devant le gisement du Ruth, ou abri Pagès, à Tursac, en 1908.

La sculpture fait en effet l'objet d'une tentative d'arrachement de la paroi calcaire. Peyrony intervient avec son efficacité habituelle et fait avorter l'opération. Le saumon de Gorge d'Enfer, la plus ancienne figuration pariétale de poisson (vers – 25 000 ans), est toujours visible aux Eyzies.

Les acquisitions domaniales à titre onéreux ou gratuit et les saisies immobilières sont à l'origine de la propriété de l'État sur de nombreux sites inscrits au Patrimoine mondial de l'humanité à partir de 1979. Sur la question de la conservation du matériel mobilier, Denis Peyrony est également un précurseur. En 1913, il réussit à lancer l'idée d'un musée de préhistoire installé aux Eyzies (l'actuel musée national de Préhistoire) pour enrayer l'hémorragie des collections qui ont, avant la loi Carcopino de 1941, largement tendance à rejoindre Paris ou d'autres capitales européennes, sans parler de leur dissémination dans d'innombrables collections privées.

En sa qualité d'enseignant, Peyrony souhaite mieux faire connaître le remarquable patrimoine préhistorique du Périgord. En 1940, il lance le projet d'une école pratique de préhistoire aux Eyzies. Mais le génie pionnier de l'homme s'exprime surtout dans cet objectif formulé dès après la Première Guerre mondiale :

promouvoir le tourisme culturel en Dordogne comme alternative à une situation économique difficile. Sans jamais briguer la mairie des Eyzies, Peyrony crée ainsi le premier syndicat d'initiative de la future capitale mondiale de la préhistoire en 1920, organise une ouverture raisonnée des grottes ornées au public et conçoit, dans les années 1930, les premiers guides touristiques.

Visionnaire et humaniste, tels sont les termes qui viennent à l'esprit pour qualifier cet homme exceptionnel et attachant. Auteur de plus de cent cinquante publications scientifiques d'une irréprochable qualité, dont de nombreuses monographies qui font encore référence un siècle plus tard, titulaire de plusieurs décorations de la fonction publique, membre et correspondant de diverses institutions scientifiques, le premier conservateur du musée de Préhistoire des Eyzies ne fut jamais candidat à une présidence ou à un poste de premier plan à Paris. Il était sans doute trop attaché à son territoire pour pouvoir le quitter, même temporairement. Il décédera à Sarlat en 1954. Officier de la Légion d'honneur, de l'Instruction publique, du Mérite social : ces trois distinctions parmi tant d'autres résument à merveille les trois facettes de cet homme qui aimait partager.

Le magdalénien : cadre chronologique, géographique et environnemental

Le magdalénien couvre la fin du dernier maximum glaciaire (aux alentours de 20 000 BP) et la première moitié d'une période d'instabilité climatique plus marquée, le tardiglaciaire. Celui-ci précède immédiatement la mise en place progressive du climat tempéré actuel, qui commence avec la période holocène il y a 10 000 ans environ. La fin du dernier maximum glaciaire, plus froid et humide qu'on ne l'imaginait il y a quelques décennies (et qui correspond au magdalénien ancien), conjugue forêt boréale et taïga, avec des espaces couverts de steppe continentale et de toundra.

Le tardiglaciaire (lors duquel se développent les phases moyenne et récente du magdalénien) se compose d'une alternance de périodes aux conditions steppiques, les dryas ancien, moyen et récent (du nom d'une plante à petites fleurs blanches caractéristique de ces périodes), entrecoupées de deux moments plus chauds et plus humides, bölling et alleröd, marqués par une lente recolonisation des espaces par la forêt tempérée. Le dryas ancien et le bölling constituent, si l'on en croit le remarquable développement des grands ongulés, un optimum climatique favorable aux prédateurs – carnivores mais surtout hommes qui vivent aux dépens des herbivores. Cette période semble précéder la phase de grand essor culturel qui voit l'explosion de l'art mobilier et certaines des plus belles manifestations de la symbolique pariétale.

L'évolution du climat a des conséquences sur l'environnement végétal mais aussi sur la géographie physique de l'ouest de l'Europe. La fonte des glaciers qui recouvrent l'Europe du Nord et les montagnes, françaises par exemple, engendre une élévation significative (environ 20 mètres) du niveau des eaux marines. L'espace habitable s'en trouve singulièrement modifié : le plateau continental de la façade atlantique est partiellement submergé, mais de nouveaux territoires s'ouvrent au Sud, telles les vallées de la moyenne montagne pyrénéenne.

Les changements climatiques ont également des répercussions sur la faune : au magdalénien moyen (le dryas ancien), les animaux steppiques et/ou arctiques sont omniprésents. Dans le sud-ouest de la France, la mosaïque des biotopes prévient l'uniformité. Les rennes dominent en Périgord, les saïgas dans le nord de l'Aquitaine, mais le tableau est plus varié au sud des Landes avec chevaux, bisons, rennes et quelques cerfs qui, notons-le au passage, représentent le bestiaire de base de l'art pariétal franco-cantabrique. Au magdalénien supérieur, le spectre des ongulés évolue : le bison se raréfie, cheval et renne remplacent la saïga, tandis que dans les marches pyrénéennes l'accès à de nouveaux biotopes permet à l'homme de consommer du bouquetin mais aussi du cerf qui devient majoritaire sur certains sites (et donc sur les parois de plusieurs sanctuaires…).

Le confluent de la Vézère et de la Beune – emplacement du futur village des Eyzies-de-Tayac – sous climat glaciaire (à gauche) et tempéré (à droite).

Au magdalénien récent,
la multiplication des sites fouillés
suggère une certaine croissance
démographique. Alors que
l'environnement change,
les hommes sont contraints
à rechercher de nouveaux
gibiers : lièvres et oiseaux
(chocards et lagopèdes dans
les Pyrénées, chouettes harfang
en plaine) sont largement
exploités et l'on consomme
même des animaux de petites
tailles tel le spermophile
et de petits carnivores.
L'éventail s'élargit jusqu'au
domaine aquatique : la pêche
aux salmonidés, aux brochets
ou aux poissons blancs
se pratique à grande échelle
au gré des saisons.
Les populations de plus en plus
nombreuses colonisent
désormais de nouveaux espaces,
en altitude et en latitude –
le magdalénien est présent
de la Pologne à la péninsule
Ibérique –, et occupent
une grande variété de sites
(plein air, abris, grottes, etc.).
Il en résulte d'importantes
innovations techniques qui
semblent en revanche aller
de pair avec une certaine
régionalisation des conventions
artistiques, des armes de chasse,
préfigurant sans doute
un ancrage territorial
plus marqué.

La chaîne Brooks en Alaska
(en haut), et le site d'Old
Crow, dans le territoire
du Yukon au Canada
(au centre et en bas).
L'ambiance de ces
paysages de toundra
et de forêt boréale
est comparable à celle
de l'Aquitaine pendant
la période magdalénienne.

Conservation des milieux souterrains et fréquentation publique

Protégée au titre des Monuments historiques dès le 3 juillet 1902, soit moins d'un an après sa découverte, la grotte de Font-de-Gaume subit encore quelques actes de vandalisme jusqu'en 1910, comme en témoignent les derniers graffitis. À cette date, qui correspond à la première ouverture au public, la publication de la monographie par Capitan, Breuil et Peyrony établit sa notoriété auprès de la communauté scientifique internationale. Cette œuvre monumentale consacre d'ailleurs plusieurs pages à l'extrême fragilité de ce patrimoine et discerne déjà, avec beaucoup de perspicacité, les causes des premiers problèmes de conservation. Après avoir remarqué que la préservation est meilleure en secteur stable et confiné, les auteurs attribuent la dégradation des parois situées en amont du Rubicon à la circulation de l'air, dont les mouvements ont pu être augmentés par l'abaissement des sols à l'époque médiévale. Avec la création du syndicat d'initiative des Eyzies-de-Tayac en 1920, puis l'électrification des galeries quelques années plus tard, Font-de-Gaume devient la première cavité préhistorique à être ouverte au tourisme. Paradoxalement, ceci marque les balbutiements des pratiques conservatoires. En effet, si plusieurs milliers de visiteurs fréquentent chaque année Font-de-Gaume, les voûtes et les parois cessent d'être endommagées par la fumée des bougies ou des lampes à acétylène ; ainsi le public participe-t-il, dans une certaine mesure, à la préservation du patrimoine. Avec les premiers congés payés et la relance d'après guerre, la fréquentation quotidienne, non contingentée, peut atteindre mille cinq cents à deux mille personnes en période estivale (comme à Lascaux avant sa fermeture). En 1970, un premier quota de six cent cinquante personnes par jour est instauré, en faveur du public, afin de limiter la concentration de gaz carbonique au-delà du Rubicon. Quelques années plus tard, en 1979, avec une nouvelle limitation à trois cent quarante personnes par jour, il apparaît que, si le confort des visiteurs demeure fondamental, l'exigence principale s'attache désormais à la stabilité climatique et biologique du milieu souterrain. On passe à deux cents personnes par jour au début des années 1990. Parallèlement, dès le début des années 1950, une série de mesures plus ou moins invasives sont progressivement adoptées en faveur des œuvres pour prévenir ou limiter les dégradations par frottement ou contact. Dans les secteurs étroits, on pratique le décaissement du sol (de 60 à 70 centimètres en moyenne) avec contrôle archéologique, tandis que dans les endroits plus spacieux sont mises en place des protections physiques telles que rambardes et vitrages.

Diverses opérations sont par ailleurs entreprises pour améliorer la lisibilité des peintures naturellement recouvertes par la calcite : l'amincissement du concrétionnement par brossage, abrasion ou choc doux donne des résultats spectaculaires, notamment sur la dernière frise des bisons. Les graves problèmes de conservation entraînant la fermeture de Lascaux en 1963 incitent à la plus extrême prudence. Sous la houlette du laboratoire de recherche des Monuments historiques sont engagées des études climatiques mesurant les variations de température, le régime de circulation d'air, l'hygrométrie, la teneur en gaz carbonique (qui, en présence d'eau de condensation, peut engendrer la dissolution du calcaire), etc. Tous ces paramètres, interactifs, ne peuvent être également contrôlés. On tente alors de limiter l'un d'eux, la présence de gaz carbonique, en complétant par un dispositif de pompage électrique la dépressurisation naturelle de la cavité.

La fréquentation publique provoque d'autres nuisances : des matières organiques et divers débris se déposant sur les parois, l'encrassement général de celles-ci crée les conditions nécessaires au développement de nombreux micro-organismes potentiellement dangereux (champignons, moisissures, etc.), processus aggravé par la présence des points lumineux de l'éclairage. Pour neutraliser ces phénomènes, on pratique régulièrement des traitements biocides par aspersion puis thermonébulisation de divers produits chimiques. Ainsi, jusqu'en 1990, la politique conservatoire est essentiellement interventionniste et curative, alors même que l'on n'en maîtrise pas forcément les effets à moyen et long termes.

À partir de 1990, et suivant les propositions de Norbert Aujoulat, grand spécialiste du milieu souterrain, conservateur au Centre national de préhistoire et responsable du département d'art pariétal, la nouvelle administration de la grotte (relevant du Centre des monuments nationaux) met en place une politique radicalement différente. Dès lors, elle favorise la prévention des risques et cherche à limiter au minimum les interventions techniques. Suivi climatique permanent et contrôle biologique régulier, entre autres, ont permis la définition par le laboratoire d'hydrogéologie de Bordeaux d'un seuil d'équilibre fondé sur le principe de la stabilité et de l'autorééquilibrage de la cavité. Toute grotte peut

AU PAYS DES GROTTES
LES EYZIES
DORDOGNE
CAPITALE DES TEMPS PRÉHISTORIQUES

Le Musée préhistorique des Eyzies, dans le vieux château des seigneurs de Beynac.

Héliogravure SADAG, Bellegarde

AU PAYS DES GROTTES
LES EYZIES
DORDOGNE
CAPITALE DES TEMPS PRÉHISTORIQUES

Grotte du Grand-Roc. Spécimen des cristallisations.

Peinture préhistorique de la Grotte de Font-de-Gaume (bison)
Copie de l'abbé Breuil.

SAVANTS ET TOURISTES !

Voulez-vous connaître le long passé de vos ancêtres de l'âge de la pierre ?

Voir leur centre le plus important, leurs habitats et leurs industries ?

Désirez-vous admirer les divers genres de leur art naturaliste ?

Etes-vous amateurs de paysages pittoresques, de grottes profondes aux cristallisations bizarres ?

LES EYZIES

peuvent satisfaire votre curiosité.

Gravure préhistorique de la Grotte des Combarelles (renne).

Les Eyzies (Dordogne), sont situées sur la voie ferrée de Paris-Agen, à 40 km. au sud de Périgueux, sur les bords charmants et pittoresques de la Vézère.

Sur une longueur de 15 km. la vallée est bordée, tantôt à droite, tantôt à gauche, de grandes falaises abruptes ou à encorbellements hautes de 50 à 80 mètres.

Ces grandes masses calcaires sont creusées à leur base de grottes profondes et d'abris naturels qui servirent, durant bien des millénaires, de temples et d'habitats aux hommes de l'âge de la pierre.

La formation géologique particulière à cette région lui a valu d'être le centre mondial pour l'homme important pendant le quaternaire.

Les déchets de taille du silex et de cuisines, les divers outils et armes perdus ou cachés, qui se sont accumulés par le séjour prolongé de populations sous le même abri, forment des dépôts appelés **gisements préhistoriques**. Dans ceux de La Micoque, du Moustier, de La Ferrassie, de Laugerie-Haute, de Laugerie-Basse (abri des Marseilles) et de La Madeleine, une ou plusieurs sections de terrains, protégées, présentent les divers étages industriels de l'homme quaternaire.

Cette région a été tour à tour occupée par diverses races humaines dont les squelettes ont été trouvés au Moustier, à La Ferrassie, à Combe-Capelle, à Cro-Magnon, à Chancelade, à Laugerie-Basse, à

Frise sculptée préhistorique du Cap-Blanc (cheval).

Saint-Germain-la-Rivière et à Rochereuil. La sépulture de Saint-Germain-la-Rivière a été reconstituée dans l'abri sous roche du vieux château.

Le Musée préhistorique, installé dans le vieux château qui se dresse à mi-hauteur des grands rochers des Eyzies, sur une vaste plate-forme, ancien habitat de nos chasseurs de renne, et celui de Laugerie-Basse, sous l'abri même, présentent les grandes et intéressantes collections d'objets en silex et en os et d'œuvres d'art mobilier, recueillis dans la région au cours des trente dernières années. Mais ce sont les grottes profondes, temples de nos ancêtres primitifs, actuellement Musées d'art préhistorique, qui nous offrent une agréable surprise. C'est une véritable exposition d'art animalier où tous les genres sont représentés : à Font-de-Gaume, comme à Altamira, en Espagne, on voit de superbes peintures monochromes et polychromes, tandis qu'aux Combarelles, à La Mouthe, à Bernifal, à La Grèze, etc..., ce sont de magnifiques gravures et à l'abri du Cap-Blanc, une frise de chevaux sculptés, dont a un 2 m. 15 de long et 35 cm. de relief.

Toute la faune quaternaire y est représentée : chevaux, bisons, bœufs, mammouths, rhinocéros laineux, rennes, bouquetins, cerfs, antilopes saïgas, loups, renards, lions, ours, etc.

Les exemples de cet art naturaliste ne sont pas spéciaux au Péri-

Musée des Eyzies. Sculpture de l'époque solutréenne (bovidés) sur bloc calcaire.

gord, on en trouve en Quercy et dans les Pyrénées françaises et cantabriques, mais nulle autre part encore, on n'en a rencontré, sur un espace aussi restreint, une telle abondance et une telle variété qu'aux Eyzies. C'est sous l'impression d'une visite que notre grand historien des Gaules, Camille Jullian, a pu écrire : « Tout Français qui a le culte de ses ancêtres ; tout homme qui a le souvenir respectueux du passé, doit faire le pèlerinage des Eyzies ».

La merveilleuse grotte du Grand-Roc, avec ses étranges et uniques cristallisations, que fait ressortir un éclairage électrique approprié, et celle de Carpe Diem, avec ses belles stalactites, complètent cet ensemble varié et instructif.

Le visiteur qui a fait des Eyzies son pied-à-terre, où la table et le gîte ne laissent rien à désirer, doit voir les deux belles vallées de la Vézère et de la Dordogne, sur les abrupts desquelles se dressent de nombreux et beaux châteaux, dans des sites merveilleux, et où sont bâtis : Beynac, La Roque-Gageac, Domme, Sarlat, Montignac, Le Bugue, etc., qui conservent leur aspect du Moyen âge. Il ne doit pas quitter le pays de la **truffe** et du **foie gras**, sans aller à Périgueux dont les monuments romains et du Moyen âge font l'admiration des curieux et des savants, ni sans parcourir les vignobles du Bergeracois et déguster le fameux **vin blanc de Monbazillac**.

en effet supporter sans dommage une légère modification de son milieu pour autant qu'elle soit très passagère. Par exemple, l'élévation de la température – chaque visiteur représente l'équivalent d'un « microradiateur » de 50 à 100 watts ! – doit être suffisamment faible, y compris en été, pour que la cavité retrouve sa température naturelle quotidiennement à la faveur de la nuit. C'est ainsi qu'a été déterminé le quota actuel de quatre-vingts visiteurs par jour (pour 40 minutes de visite). Le bénéfice est évident : depuis plusieurs années, Font-de-Gaume est parfaitement stable et ne nécessite plus aucun traitement. Sous réserve des modifications du régime climatique actuel, le public devrait pouvoir continuer à fréquenter cette cavité sans lui faire courir de risque majeur pouvant entraîner la disparition de ses œuvres.

Aujourd'hui, au-delà du suivi conservatoire assuré par le laboratoire d'hydrogéologie de Bordeaux, la grotte fait également l'objet de travaux de recherche extrêmement pointus s'intéressant entre autres au problème des vermiculations. Elles constituent de petits agrégats, généralement en forme de vers (d'où leur nom) correspondant à une floculation pendant séchage d'un film liquide susceptible de remobiliser

les pigments. À Font-de-Gaume, elles affectent principalement la fin de la galerie principale et le diverticule final, sur le calcaire encaissant ou la formation de calcite. L'impact visuel peut être fort car les vermiculés vont souvent de pair avec un appauvrissement de la couche pigmentaire. Dirigée par Patrick Paillet, la recherche effectuée dans le cadre du programme « Blanc » de l'Agence nationale de la recherche s'est attachée

à définir une typologie fine de ces vermiculations pour élaborer une méthode de suivi de leur évolution. Les résultats sont en cours de publication.

Exemples d'altération des parois à Font-de-Gaume : calcitation (en haut) et vermiculés (en bas).

Centre des monuments nationaux

Président
Philippe Bélaval

Directrice générale
Bénédicte Lefeuvre

Éditions du patrimoine

Directeur des éditions
Jocelyn Bouraly

Responsable des éditions
Catherine Donzel

Responsable de la fabrication
Carine Merse

Réalisation graphique
Régis Dutreuil

Coordination éditoriale
Stéphanie Grégoire

Correction
Anne-Claire Juramie

Conception graphique
Cyril Cohen
Régis Dutreuil

Photogravure
APS-Chromostyle, Tours

Impression
Imprimerie IME, Baume-les-Dames, France

Crédits photographiques
h = haut ; b = bas ; c = centre

© Norbert Aujoulat : couverture, 12 b, 10, 22, 24-25, 26, 27 b, 28, 29, 32-33, 34-35, 37, 39, 40, 41, 44 b, 46, 48, 49, 50, 51, 52, 53
© Bibliothèque centrale, Muséum national d'histoire naturelle, Paris : 13 b, 30-31, 54 b
© Centre des monuments nationaux : 27 h, 36, 38 b
© Centre des monuments nationaux, cliché Olivier Huard : couverture, 13 h, 63 h
© Centre des monuments nationaux, cliché Philippe Jugie : 4, 8, 16, 17, 21 h, 23, 42-43, 47, 54 h, 55
© Centre des monuments nationaux, cliché Jean-Christophe Portais : 63 b
© Collection musée national de Préhistoire, Les Eyzies : 12 h et c, 18-19, 21 b, 38 h, 44 h, 45, 57, 58, 62
© Alain Dalis : 59
Musée d'Archéologie nationale, Saint-Germain-en-Laye, bibliothèque, fonds Breuil, album n° 1, folio 9, © Loïc Hamon : 5
© Musée national de Préhistoire, Les Eyzies, dist. RMN, cliché Ph. Jugie : 2, 6, 7, 14
© Jean-Philippe Rigaud : 60
© The Wendel Collection, Neanderthal Museum, Mettmann : 20

En couverture
Bison polychrome appartenant à l'ensemble de la paroi gauche, en seconde partie de la galerie principale.

100 ANS
CENTRE DES
MONUMENTS NATIONAUX

© Éditions du patrimoine,
Centre des monuments nationaux,
Paris, 2014
Dépôt légal : mai 2014

ISBN : 978-2-7577-0371-7
ISSN : 1960-3304